To[illegible]
est ma[illegible]

hachette
ÉDUCATION

Avec Sami et Julie, lire est un plaisir !

Avant de lire l'histoire

- Parlez ensemble du titre et de l'illustration en couverture, afin de préparer la compréhension globale de l'histoire.
- Vous pouvez dans un premier temps lire l'histoire en entier à votre enfant, pour qu'ensuite il la lise seul.
- Si besoin, proposez les activités de préparation à la lecture aux pages 4 et 5. Elles permettront de déchiffrer les mots les plus difficiles.

Après avoir lu l'histoire

- Parlez ensemble de l'histoire en posant les questions de la page 30 : « As-tu bien compris l'histoire ? »
- Vous pouvez aussi parler ensemble de ses réactions, de son avis, en vous appuyant sur les questions de la page 31 : «Et toi, qu'en penses-tu ?»

Bonne lecture !

Couverture : Mélissa Chalot
Maquette intérieure : Mélissa Chalot
Mise en page : Typo-Virgule
Illustrations : Thérèse Bonté
Édition : Laurence Lesbre
Relecture ortho-typo : Emmanuelle Mary

ISBN : 978-2-01-910380-4

Achevé d'imprimer en Espagne par Unigraf
Dépôt légal :février 2019 - Édition: 08 - 25/6712/7

Les personnages de l'histoire

1. Montre le dessin quand tu entends le son (i) dans le mot.

2. Montre le dessin quand tu entends le son (a) dans le mot.

3. Lis ces syllabes.

sa	mi	ado	to	bi	do
pa	té	ri	fa	mé	ui

4 Lis ces mots outils.

5 Lis les mots de l'histoire.

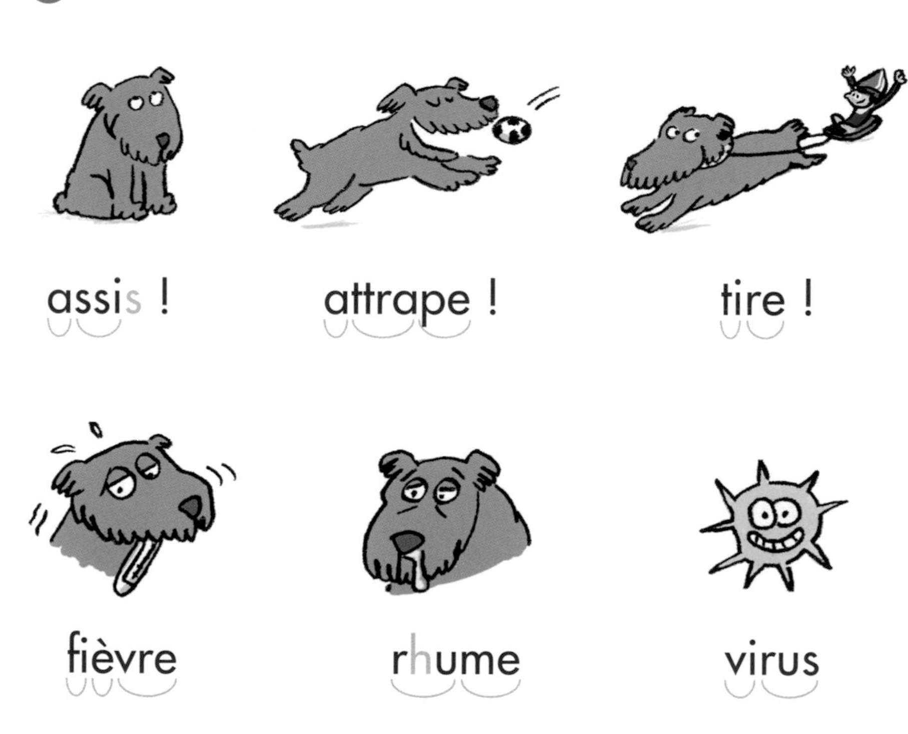

Sami adore Tobi !

Et Tobi adore Sami !

Sami donne à Tobi
de la pâtée et du riz.
Et si Tobi est affamé,
il lui donne du rôti.

Si Sami dit :

« Assis ! La patte ! »

Tobi obéit.

Tobi adore
les promenades,
alors Sami le sort,
même l'hiver.

Sami dit :

« Attrape ! »

et Tobi obéit.

Papa a une idée.

Sami dit :

« Tire ! »

et Tobi obéit.

Après la sortie,

Tobi reste

sur le tapis.

Il refuse même

le rôti de Sami.

Tobi est malade !

« Il a de la fièvre ! »

dit Sami.

Alors Papa

l'amène visiter

madame Delatortue.

Tobi est affolé.

VOTRE CHAT
VÉTÉR

Tobi a attrapé
un virus !
Il a un rhume.

Tobi est dorloté,

il sera vite

remis sur pattes !

As-tu bien compris l'histoire ?
1
Est-ce que Tobi comprend ce que lui dit Sami ?
2
Quel temps fait-il pendant la promenade ?
3
Comment Tobi se sent-il après la promenade ?
???
4
À ton avis, est-ce que Tobi aime aller chez la vétérinaire ?
5
Que dit la vétérinaire ? Est-ce que c'est grave ?

As-tu un animal de compagnie ? Aimerais-tu en avoir un ?

Comment s'appelle le « docteur » des animaux ?

Quel est ton animal préféré ? Pourquoi ?

À ton avis, que faut-il faire pour bien s'occuper de son animal ?

Est-ce que tu trouves que Sami s'occupe bien de son animal ?

Dans la même collection :

Début de CP

Milieu de CP

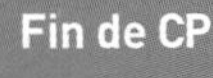

Fin de CP

Découvrez aussi les BD Sami et Julie BD

hachette ÉDUCATION